PERYGL YN SBAEN

PERYGL yn Sbaen

Bob Eynon

GWASG Y DREF WEN

Cyhoeddwyd drwy gydweithrediad
Awdurdod Addysg Morgannwg Ganol
dan nawdd Cynllun Llyfrau Darllen
Cyd-bwyllgor Addysg Cymru.

© Bob Eynon, 1987
Cyhoeddwyd gan Wasg y Dref Wen,
28 Ffordd yr Eglwys,
Yr Eglwys Newydd, Caerdydd.
Argraffwyd gan Black Bear Press Limited, Caergrawnt.

Er cof am
Glenys Eynon

1.

Roedd cloch eglwys yn taro dau o'r gloch pan gyrhaedd-
odd Debra Craig y caffe lle roedd hi'n mynd i gwrdd â'i
ffrind Betty Harper. Eisteddodd hi wrth y bwrdd agosaf
ar y teras. Doedd hi ddim eisiau mynd i mewn i'r caffe;
roedd y tywydd yn braf a'r awyr yn las, ac roedd yr haul
yn gwenu ar ddinas Madrid.

Ymhen mis byddai'r strydoedd yn rhy boeth am
hanner dydd, a byddai'r bobl yn brysio adref i gael siesta
y tu ôl i lenni caeëdig. Ond nawr ym mis Ebrill roedden
nhw'n hapus i yfed Coca Cola neu gwrw ar deras y caffe
cyn mynd yn ôl i'r gwaith am y prynhawn.

Doedd Debra ddim wedi codi'n gynnar y bore hwnnw;
doedd dim llawer ganddi i'w wneud. Ar ôl gorffen cwrs
ieithoedd yng Ngholeg Prifysgol Abertawe y flwyddyn
flaenorol, roedd hi wedi penderfynu dod i Sbaen i chwilio
am waith. Ar y dechrau roedd popeth wedi mynd yn
iawn. Pan gyrhaeddodd hi Madrid yn yr haf roedd y brif-
ddinas yn llawn o deithwyr. Felly daeth hi o hyd i waith
mewn bar heb drafferth. Roedd ei misoedd cyntaf yn
Sbaen yn hapus. Roedd hi'n ennill digon o arian i fyw yn
iawn a doedd dim rhaid iddi feddwl am y dyfodol. Ond
wedyn, pan aeth y teithwyr yn ôl i Brydain, Ffrainc, yr
Almaen ac America, collodd hi ei swydd yn y bar ac roedd
rhaid iddi ddechrau gwario'r arian oedd ganddi hi yn y
banc.

"Debra!"

Cododd ei phen a gweld Betty yn dod ati hi.

"O, helo, Betty. Sut mae pethau?"

Eisteddodd Betty wrth ei hochr.

"Wyt ti wedi codi diod eto?" gofynnodd hi.

"Nac ydw. Rydw i newydd gyrraedd," atebodd Debra. "Beth wyt ti eisiau?"

"*Cognac.*"

"*Cognac?*" Edrychodd Debra ar y ferch yn syn. Roedden nhw'n cwrdd yn y caffe bron bob prynhawn, ond fel arfer roedd Betty yn gofyn am wydraid o Coca Cola neu lemonêd.

"Ie, *cognac.*" Roedd wyneb Betty yn llwyd. Rhoddodd hi baced o sigarets ar y bwrdd. Tra oedd hi'n agor y paced sylwodd Debra fod ei dwylo yn crynu.

"Señoritas?" Roedd y gweinydd yn sefyll wrth y bwrdd. Tra oedd e'n siarad roedd e'n syllu ar Debra ac yn meddwl ei bod hi'n bert iawn.

"Dewch â gwydraid o Coca Cola i fi, a gwydraid o *cognac* i fy ffrind," meddai Debra.

Trodd y gweinydd at y bar, a throdd Debra at Betty.

"Beth sy'n bod?" gofynnodd. "Dwyt ti ddim yn edrych yn dda o gwbl."

2.

Gosododd y gweinydd y diodydd ar y bwrdd.

"Faint ydy hynny?" gofynnodd Debra, ond roedd Betty yn estyn arian papur i'r llanc yn barod. Roedd yr un peth yn digwydd bob prynhawn. Ar y dechrau, fisoedd yn ôl, roedd Debra wedi protestio, ond yn fuan deallodd hi fod gan Betty arian i'w losgi. Doedd hi ddim wedi siarad erioed am ei gwaith ym Madrid, ond roedd hi'n gwisgo ffrog newydd bob dydd ac roedd hi'n siarad yn aml am y bobl gyfoethog roedd hi'n eu nabod yn y ddinas.

Fel arfer roedden nhw'n treulio'r amser yn siarad am eu bywyd yng ngwledydd Prydain. Roedd Betty yn dod o Lundain ac roedd hi'n hoffi cymharu'r ddwy brifddinas. Roedd hi wedi treulio llai o amser ym Madrid na'r ferch o Abertawe, ond roedd yn amlwg iddi fod yn llawer mwy llwyddiannus.

Yfodd Betty ei diod yn syth.

"Os oes syched arnat ti, fe fyddai'n well iti yfed lager," meddai Debra.

Gwenodd Betty yn wan.

"Sut rydw i'n edrych?" gofynnodd hi.

"Wel . . . rwyt ti'n ymddangos yn fwy nerfus nag rwyt ti fel arfer."

Diffoddodd Betty ei sigarét.

"Rydw i wedi cael digon ar Sbaen," meddai hi.

"Digon ar Sbaen?"

"Ie. Llond bol." Taniodd hi sigarét arall. "Rydw i wedi penderfynu gadael y wlad."

Yn sydyn teimlodd Debra yn drist. Roedd Betty Harper yn ffrind dda iddi, ffrind hael a dibynadwy. Fyddai ei bywyd ddim yr un peth hebddi.

"Ond Betty, rwyt ti'n mynd i golli'r tymor gorau, yr haf."

"Fe fydd Madrid yn rhy boeth i fi, yn llawer rhy boeth," atebodd y ferch o Lundain, ac roedd tôn ryfedd yn ei llais. Yna tynnodd hi amlen drwchus allan o'i bag llaw.

"Rydw i'n dal y trên heddiw am bump o'r gloch. Fe brynais i'r tocyn y bore 'ma. Fe gaf i ddiwrnod neu ddau ym Mharis cyn mynd yn ôl i Loegr."

"Fe fydd Paris yn hyfryd nawr," cytunodd Debra, ond doedd dim llawer o hwyl yn ei llais.

Gwthiodd Betty yr amlen ati hi.

"Wnei di gymwynas â fi? Mae fy ffrind yn byw ger Sgwâr Quevedo. Mae ei henw a'i chyfeiriad hi ar yr amlen. Does gen i ddim amser i fynd i'w gweld hi, ond mae'n bwysig iddi hi dderbyn yr amlen heno. Fe fydd hi yn ei fflat ar ôl wyth o'r gloch."

"O'r gorau," meddai Debra. "Fe fydd yr amlen yn ddiogel gyda fi."

Cododd Betty o'i chadair a gosododd hi swm o arian ar y bwrdd.

"Dyma bum mil o besetas," meddai hi. "Does arna i ddim eisiau arian Sbaen nawr."

Yna trodd ei chefn a diflannu rhwng y bobl oedd yn mynd a dod ar hyd y ffordd fawr.

3.

Y noson honno fwytodd Debra ddim yn ei fflat hi. Roedd hi wedi penderfynu mynd â'r amlen at ffrind Betty ac wedyn cael pryd mewn bar.

"Efallai daw Susan gyda fi," meddyliodd hi.

Susan oedd yr enw ar yr amlen: Susan Rawlings, Fflat 2, 33 Stryd Laredo.

Gosododd Debra yr amlen yn ei bag llaw, yna diffodd-odd hi'r golau a mynd allan o'r fflat. Doedd hi ddim eisiau gwastraffu arian ar dacsi, felly cerddodd i'r orsaf metro ar ben y stryd. Roedd hi'n gallu teithio'n syth o'r orsaf yma i Sgwâr Quevedo. Prynodd docyn a cherddodd i lawr y grisiau i gyfeiriad y trenau.

Roedd rhai pobl ar yr orsaf yn barod, a doedd y dynion ddim yn gallu peidio â syllu ar Debra ac edmygu ei gwallt coch hir a'i chorff main gosgeiddig.

Cyrhaeddodd y trên Sgwâr Quevedo ychydig ar ôl naw o'r gloch. Roedd allanfa'r orsaf yn Stryd Laredo ei hun, felly doedd dim rhaid iddi gerdded yn bell. Roedd yr heol yn dywyll ac yn wag ac roedd rhaid i Debra edrych yn ofalus ar rifau'r tai er mwyn dod o hyd i'r tŷ cywir.

"Tri deg tri; dyma ni," meddai hi o'r diwedd. Gwthiodd hi'r drws allanol a chyneuwyd golau'r cyntedd yn awtomatig. Roedd hi'n gallu gweld drws ar y dde a drws arall ar y chwith. Trodd at y drws ar y dde a darllenodd hi'r geiriau hyn: Fflat 2, Señorita Rawlings.

Pwysodd Debra ddwywaith ar y botwm gwyn wrth ochr yr enw. Chlywodd hi ddim sŵn a ddaeth neb at y drws. Yna curodd hi ar y drws a theimlodd e'n symud; doedd e ddim ar gau. Penderfynodd fynd i mewn i'r fflat a gadael yr amlen yno.

Roedd yr ystafell yn dywyll, ond roedd golau yn ymddangos trwy wydr drws o'i blaen hi.

"Helo," gwaeddodd hi. "Oes rhywun i mewn?"

Agorodd hi'r ail ddrws. Roedd hi'n sefyll yn yr ystafell wely nawr. Roedd ffrog las a phâr o sanau wedi eu gosod yn daclus ar y gwely. Yna clywodd Debra sŵn "tap. . . tap" yn dod o'r ystafell ymolchi. Croesodd hi'n llawr a chyneuodd hi olau'r ystafell ymolchi.

Roedd merch yn gorwedd yn y bath, ac roedd twll crwn yn ei brest hi. Roedd ei llygaid agored yn syllu ar wyneb Debra, ac roedd y dŵr yn lapio ei chorff fel amdo coch.

4.

Gadawodd Debra fflat Susan Rawlings mewn breuddwyd. Roedd hi'n teimlo'n rhy gynhyrfus i gymryd y metro adref. Roedd rhaid iddi hi gerdded er mwyn anghofio llygaid agored y ferch yn y bath. Yn ffodus chwrddodd hi â neb ar ei ffordd yn ôl i Sgwâr Quevedo. Croesodd hi'r sgwâr a dechreuodd gerdded ar hyd y ffordd fawr oedd yn arwain i ganol y dref.

Cyrhaeddodd hi gornel lle roedd dau blismon yn sefyll gan siarad â'i gilydd. Aeth Debra heibio iddyn nhw, bron heb fentro anadlu. Pam nad aeth hi atyn nhw a dweud ei stori? Roedd ofn arni. Roedd hi wedi clywed am yr heddlu mewn gwledydd tramor. Roedd hi wedi darllen mewn papurau newydd bod pobl ddieuog wedi cael eu carcharu am flynyddoedd yn Sbaen. Nage, roedd rhaid iddi hi anghofio popeth oedd wedi digwydd.

Ymhen deng munud gwelodd hi brif stryd Madrid, y Gran Via. Roedd pobl yn dod allan o'r sinemâu ac yn brysio i mewn i'r tafarnau. Roedd Debra'n teimlo'n oer, ac roedd syched arni. Ond roedd hi'n rhy gynhyrfus i fynd i mewn i un o'r barrau. Trodd hi'n drist i gyfeiriad ei fflat. Roedd hi ar ei phen ei hun mewn dinas fawr, ac roedd ganddi hi gyfrinach fawr.

Aeth i fyny'r grisiau ac i mewn i'r fflat. Eisteddodd ar y gwely o flaen drych y bwrdd gwisgo. Roedd ei hwyneb hi yn wyn, a'i minlliw yn rhy goch, fel y mae ar wyneb clown. Aeth hi i'r gegin i wneud potaid o goffi du. Tra oedd hi'n paratoi'r coffi roedd ei llaw yn crynu fel deilen.

Tynnodd ei dillad oddi amdani, a gwisgodd ŵn nos porffor. Roedd y coffi yn dda, a dechreuodd Debra ymlacio. Trodd y radio ymlaen a chwiliodd am raglen o Brydain. Roedd hiraeth arni hi, hiraeth am draeth hir Abertawe a chychod bach harbwr y Mwmbwls.

Agorodd ei bag llaw a thynnu'r amlen drwchus allan.

Edrychodd ar yr amlen am funud ac yna penderfynodd ei hagor.

Roedd yr amlen yn llawn o arian. Dechreuodd Debra gyfrif faint oedd yno; pum deg mil o besetas, neu dri chant o bunnau. Gyda'r arian roedd darn o bapur lle roedd Betty wedi ysgrifennu: "Os wyt ti eisiau dweud diolch, mae Señor Lopez yn byw yn 15 Stryd Menendez, El Plantio."

5.

Penderfynodd Debra gysylltu â Señor Lopez tra oedd hi'n cael brecwast yn y bar bach ar gornel y stryd nid nepell o'r orsaf metro.

Doedd hi ddim wedi cysgu'n dda, ac roedd hi wedi codi'n gynnar. Roedd gweithwyr yn arfer defnyddio'r bar hwn yn y bore ar eu ffordd i'r gwaith, felly roedd e ar agor yn barod pan adawodd Debra ei fflat.

Roedd y barman yn ddyn tew, hapus. Roedd e'n nabod Debra yn iawn achos roedd hi'n dod i'r bar o leiaf unwaith bob dydd.

"Buenos días, Señorita," meddai fe. "Sut mae pethau y bore 'ma?"

Gwenodd y ferch yn wan.

"O, gweddol. Gaf i goffi a brechdan salami, os gwelwch yn dda?"

Roedd hi eisiau bwyta rhywbeth er mwyn teimlo'n gryfach.

"Fe wna i'r frechdan fy hun, Señorita," meddai'r barman. "Dydy Maria ddim wedi codi eto. Mae annwyd arni hi."

"Mae'n ddrwg gen i. Gobeithio y bydd hi'n gwella'n fuan.''

Gosododd y barman y coffi ar y cownter. Sylwodd e ar law Debra yn crynu wrth iddi hi ddal y cwpan.

"A beth amdanoch chi, Señorita,'' gofynnodd e. "Ydych chi'n iawn?''

"Ydw, ydw; ond chysgais i ddim yn dda neithiwr.''

"Ar y tywydd mae'r bai,'' meddai'r barman. "Mae hi'n dechrau newid. Mae'r haf yn iach ym Madrid, y gaeaf hefyd, ond pan mae'r tywydd yn newid mae'n beryglus. Roedd fy mam yn dweud hynny pan oeddwn i'n blentyn bach. Doedden ni ddim yn byw yma ar y pryd. Roedden ni'n byw yn Leon. Ydych chi'n nabod Leon, Señorita?''

"Nac ydw.''

Roedd y coffi yn boeth ac yn flasus.

"Mae Leon yn y gogledd, yn y mynyddoedd. Mae eglwys gadeiriol hyfryd yno.''

Roedd Debra yn meddwl am yr arian yn yr amlen, ac am neges Betty i Susan Rawlings.

"Mae Leon yn hardd iawn, Señorita, ond mae'n sych.''

Roedd Señor Lopez wedi bod yn ffrind i Betty. Roedd e wedi rhoi arian i Betty ar gyfer Susan. Oedd e'n ffrind i Susan hefyd?

"Yn anffodus, Señorita, mae dŵr y mynyddoedd yn llifo tua Santander ac Oviedo, felly mae Leon yn sych fel roeddwn i'n dweud.''

Ond oedd yr arian wedi cyrraedd yn rhy hwyr? A pham roedd Betty wedi gadael Madrid ar frys? Roedd gan Debra dri chant o bunnau oedd yn perthyn i Señor Lopez, achos fod Susan Rawlings wedi marw. Roedd rhaid iddi hi roi'r arian yn ôl iddo fe.

"Wrth gwrs, mae afon yn llifo trwy Leon, ond dydy hi ddim yn fawr."

Cododd Debra ei phen.

"Oes llyfr ffôn gennych chi?" gofynnodd hi.

"Llyfr ffôn? Oes, wrth gwrs."

Estynnodd e'r llyfr ati a dechreuodd hi fynd trwy'r tudalennau yn gyflym. Roedd llawer â'r enw 'Lopez' yn y llyfr, ond doedd dim un ohonyn nhw yn byw yn Stryd Menendez, El Plantio.

6.

Mae El Plantio yn bentref newydd ar gyrion Madrid. Mae'r pentref yn llawn o dai a fflatiau atyniadol lle mae pobl gyfoethog yn byw, nid pobl Madrid fel arfer ond dieithriaid sy wedi dod i'r brifddinas i weithio; yn feddygon, peirianwyr, cyfreithwyr a phenseiri. Dydy pobl y fflatiau ddim mor gyfoethog â'r rhai sy'n byw yn y tai ond dydyn nhw ddim yn dlawd chwaith.

Dydy'r metro ddim yn mynd mor bell ag El Plantio, felly roedd rhaid cymryd y metro hyd ddiwedd y lein ac yna dal ymlaen ar y bws.

"El Plantio, Señorita? Pedwar deg o besetas."

Rhoddodd gyrrwr y bws docyn iddi hi. Dyn ifanc oedd e, ugain oed efallai. Trodd e ei ben i syllu ar Debra yn cerdded at gefn y bws. Roedd gwallt coch y ferch yn syrthio dros ei hysgwyddau. Roedd y gyrrwr yn meddwl na welsai erioed ferch mor hardd.

Roedd Debra yn hapus i adael strydoedd prysur canol y dref. Yn fuan roedd caeau gwyrdd yn ymddangos rhwng y tai, ac roedd mynyddoedd y Sierra i'w gweld yn y pellter. Tra oedd Debra yn mwynhau'r olygfa roedd y teithwyr eraill yn cymryd diddordeb ynddi hi.

"Ydych chi'n mynd yn bell, Señorita?" gofynnodd hen wraig oedd yn sefyll ar ochr arall y bws.

"I El Plantio, Señora," atebodd y ferch.

"O, rydych chi'n byw yno?"

"Nac ydw. Dyma'r tro cyntaf imi ddod yma."

"O, mae El Plantio yn hyfryd," meddai'r hen wraig. "Fe hoffwn i fyw yno petai'r arian gyda fi."

"Y stop nesaf, Señorita!" gwaeddodd y gyrrwr, a ffarweliodd Debra â'r hen wraig.

"Adiós, a phob lwc ichi," meddai'r hen wraig.

Wrth iddi hi fynd heibio i'r gyrrwr, gwenodd e arni.

"Fe fydda i'n gyrru'r bws yn ôl i'r ddinas am chwech o'r gloch," meddai gyda winc.

Symudodd y bws i ffwrdd a gwelodd y ferch ei bod hi'n sefyll mewn stryd hyfryd. Roedd coeden ar bob cornel, ac roedd y ffordd a'r palmant yn lân a'r tai yn daclus.

Daeth hi o hyd i dŷ Señor Lopez heb drafferth. Doedd y pentref ddim yn fawr. Canodd hi'r gloch ac ymhen rhai eiliadau daeth gwraig dal, denau i'r drws.

"Gaf i weld Señor Lopez, os gwelwch yn dda?" gofynnodd Debra.

"Señor Lopez?" Roedd wyneb y wraig yn dangos dim. "Does neb o'r enw Lopez yma. . ."

7.

Safodd y wraig a Debra yn edrych ar ei gilydd heb ddweud gair. Yna dywedodd y wraig eto:

"Does neb o'r enw Lopez yma."

Siglodd Debra ei phen yn araf.

"Fe wnaeth Betty Parker gamgymeriad felly," meddai hi.

"Betty Parker?" Roedd enw Betty wedi gwneud argraff ar y wraig.

"Arhoswch am funud, Señorita," meddai hi.

Aeth y wraig i mewn i'r tŷ heb gau'r drws. Roedd Debra yn gallu ei chlywed hi yn siarad â rhywun. Yna daeth hi'n ôl at y drws.

"Dewch i mewn, Señorita."

Aeth hi â Debra i mewn i swyddfa o ryw fath. Roedd dyn yn eistedd y tu ôl i ddesg fawr. Roedd e'n gwisgo siwt las gostus.

"Eisteddwch i lawr, Señorita," meddai fe. "Gaf i wybod beth ydy eich enw chi?"

"Debra, Debra Craig."

"A, dieithryn arall." Taniodd e sigâr ddu ac edrychodd arni hi gyda diddordeb. "Roeddwn i'n nabod teulu Albanaidd o'r enw Craig."

"Mae fy nhad yn Albanwr," esboniodd Debra. "Ond mae fy mam yn Gymraes."

"Yn ôl fy ysgrifenyddes, rydych chi wedi dod yma i weld Betty Parker."

"O, na! Roeddwn i'n gobeithio cwrdd â Señor Lopez. Mae gen i neges iddo fe gan Betty."

"Yn anffodus mae Señor Lopez wedi symud, ond fe alla i roi'r neges iddo fe."

"Mae. . . mae'n rhaid i fi roi'r neges iddo fe'n bersonol."

"Ond fe fydda i'n ei weld e bore fory. Beth ydy'r neges?"

"Mae rhaid i fi ei weld e'n bersonol achos. . . achos mae gen i amlen iddo fe ac arian ynddi hi.''

Gwenodd y dyn ar y ferch.

"A, rydw i'n deall. Dydych chi ddim yn ymddiried ynof fi.''

Cododd e o'i gadair a mynd at y ffenestr.

"Pum deg mil o besetas,'' meddai fe'n dawel.

"Beth?''

"Pum deg mil o besetas, Señorita. Dyna faint o arian sydd yn yr amlen.''

Trodd e ei ben yn sydyn a syllodd ar wyneb y ferch.

"Felly dderbyniodd Susan Rawlings mo'r arian?'' gofynnodd e. "Roedd ei henw hi ar yr amlen, onid oedd?''

"Fe. . . fe es i i'w gweld hi yn ei fflat, ond ches i ddim ateb.''

"Pryd aethoch chi i weld Susan?''

Roedd y dyn yn gofyn cwestiynau yn rhy gyflym i Debra feddwl yn glir.

"Nos Fercher,'' meddai hi. "Ond ches i ddim. . .''

"Oeddech chi'n gwybod bod Susan wedi marw?''

"Wedi marw? Nac oeddwn.''

"Pam na roioch chi'r amlen trwy flwch llythyron y fflat?''

Distawrwydd. Cododd y dyn ei lais.

"Atebwch pan ydw i'n gofyn cwestiwn ichi.''

Yn sydyn collodd Debra ei thymer hi hefyd.

"Pam dydych chi ddim yn gofyn i Betty Parker? Hi a roddodd yr amlen i fi.''

Eisteddodd y dyn dan ochneidio.

"Fe gafodd Betty Parker ei lladd ym Mharis y bore 'ma,'' meddai fe. "Mae'n rhaid ichi ddweud y gwir wrtho i, Señorita. Y gwir yn unig.''

8.

Adroddodd Debra yr holl hanes. Siaradodd hi am ei chyfeillgarwch â Betty Parker ac am y tro olaf roedden nhw wedi cwrdd yn y caffe, y prynhawn pan roddodd Betty yr amlen iddi hi. Yna disgrifiodd hi ei thaith i Sgwâr Quevedo, a'i hymweliad â fflat Susan Rawlings. Pan siaradodd hi am gorff Susan yn y bath, gofynnodd y dyn:

''Pam nad aethoch chi ar unwaith at yr heddlu?''

''Achos roedd ofn arna i,'' esboniodd Debra. ''Doeddwn i ddim eisiau trafferth gyda'r heddlu.''

Edrychodd y dyn o gwmpas yr ystafell.

''Mae'r swyddfa yma yn perthyn i'r heddlu, Señorita Craig,'' meddai fe.

''I'r heddlu?'' meddai Debra yn syn.

''Ie. Gadewch imi fy nghyflwyno fy hun. Lopez ydw i, Raul Lopez.''

''Plismon ydych chi?''

''Nid yn hollol, Señorita. Gyda llaw, ydych chi wedi cael trafferth gyda'r heddlu o'r blaen, yma yn Sbaen neu gartref ym Mhrydain?''

''Nac ydw. Dim o gwbl.''

Roedd Lopez yn gwenu am y tro cyntaf, ond doedd ei lygaid ddim yn gadael wyneb y ferch am eiliad.

''Rydw i'n gallu cael hyd i'r ffeithiau'n hawdd iawn,'' meddai fe.

''Wel, ewch ymlaen, Señor Lopez. Dydw i erioed wedi cael trafferth gyda'r heddlu,'' meddai Debra yn bendant.

''Iawn, ond peidiwch â cholli eich tymer, Señorita.''

Aeth wyneb Debra yn goch.

"Dydw i ddim yn colli fy nhymer, Señor."

Chwarddodd Lopez yn uchel.

"Mae llawer o dân ynoch chi, Señorita Craig; ac rydych chi'n hardd iawn pan ydych chi'n grac."

"Ddes i ddim yma er mwyn ichi ddweud fy mod i'n hardd, Señor. Fe ddes i yma i roi'r amlen yn ôl ichi. Rydw i newydd dderbyn newyddion drwg am fy ffrind Betty. Dydw i ddim yn teimlo fel chwerthin. Rydw i'n mynd."

Cododd Lopez o'i gadair a dal braich Debra.

"Esgusodwch fi," meddai fe. "Roedd y newyddion am Betty yn sioc i ni i gyd. Ond roedd rhaid imi fod yn siŵr eich bod chi'n dweud y gwir. Nawr rydw i'n siŵr mai ffrind dda i Betty oeddech chi, Señorita."

"A beth amdanoch chi, Señor?"

"Roedd Betty a Susan yn gweithio i fi. Mae'r ddwy ferch wedi marw dros Sbaen, ac mae'n rhaid imi dalu'r pwyth yn ôl!"

9.

"Betty a Susan wedi marw dros Sbaen?" meddai Debra yn syn. "Dydw i ddim yn deall o gwbl, Señor."

Ochneidiodd Lopez a gosododd y sigâr yn y blwch llwch.

"Rydw i'n mynd i ddweud y gwir wrthoch chi, Señorita Craig. Ond peidiwch â siarad â neb am y mater, neu fe fydd rhaid inni gymryd eich trwydded deithio a'ch gyrru o Sbaen!"

"Felly yr heddlu ydych chi," meddai Debra.

"Na. Nid yr heddlu ydyn ni. Ydych chi'n gwybod pa fath o lywodraeth sy'n rheoli Sbaen ar hyn o bryd?"

"Llywodraeth? Wel, llywodraeth ddemocrataidd fel ym Mhrydain," atebodd y ferch.

"Ie, ond dydy ein llywodraeth ni ddim mor ddiogel â'ch llywodraeth chi. Mae grwpiau o derfysgwyr yn bygwth ein heddwch ni."

Roedd Debra yn gwrando ar bob gair. Aeth Lopez yn ei flaen:

"Beth amser yn ôl penderfynodd y llywodraeth ffurfio grŵp arbennig i amddiffyn y wlad yn erbyn terfysgwyr. Rydw i'n aelod o'r grŵp ac fe ddewisais i Betty Parker i'n helpu ni. Yna fe ddewisodd Betty ei ffrind Susan i'w helpu hi, ond doedd Susan ddim yn gwybod llawer am waith y grŵp. Roedd y ddwy ferch yn gallu symud a chymdeithasu ym Madrid heb unrhyw broblem am eu bod nhw'n brydferth ac yn ddieithriaid. Roedden ni'n eu cyfeirio nhw at bobl amheus, ac roedden nhw'n dod â gwybodaeth yn ôl inni. Yna, yn sydyn, fe ymadawodd Betty â Madrid. Roedd hi'n ofni fod rhywun yn ei drwg-dybio."

"Roedd hi'n nerfus iawn yn y caffe," meddai Debra.

"Wel, yn lle dod i siarad â fi, fe redodd hi i ffwrdd. Ond fe ddilynodd rhywun hi ac fe'i lladdodd hi. Fe gollodd Susan Rawlings ei bywyd hefyd am ei bod hi'n gweithio gyda Betty."

"A dydy'r heddlu. . . dydych chi ddim yn gallu gwneud dim i ddal y llofruddion?"

"O ydyn, mae'r rhwyd yn cau amdanyn nhw yn barod."

"Señor Lopez. . ."

"Ie?"

"Gaf i wneud rhywbeth i'ch helpu chi i'w dal nhw?"
Roedd wyneb Lopez yn ddifrifol.

"Mae dau berson wedi cymryd lle Betty a Susan yn barod, Señorita Craig."

Meddyliodd e am funud, yna:

"Ond efallai y byddwch chi'n gallu bod yn ddefnyddiol inni fel negesydd, Señorita. Fydd hynny ddim mor beryglus â gwaith Betty. Ond cofiwch, os ydych chi mewn unrhyw berygl fe fydd rhaid ichi gysylltu â fi ar unwaith."

10.

Ar y ffordd yn ôl i'r arhosfan bws prynodd Debra hanner pwys o rawnwin mewn siop yn y stryd fawr. Edrychodd hi ar ei wats. Roedd ganddi hi ugain munud i aros cyn i'r bws ddod.

Yn ffodus roedd bar yn y stryd, a phenderfynodd hi gael cwpanaid o goffi a theisen. Ar ochr arall y stryd roedd car wedi ei barcio, Citroën llwyd oedd e. Yn Sbaen mae pob car yn dwyn llythyren neu lythrennau sy'n dweud o ble mae e'n dod. Roedd y Citroën hwnnw yn dwyn y llythrennau BI, felly roedd Debra yn gwybod bod y car yn dod o Bilbao yng Ngogledd Sbaen.

Meddyliodd hi am funud am y ddinas honno. Roedd hi wedi dod i mewn i'r wlad trwy borthladd Bilbao chwe mis yn ôl, ar ôl taith o ddau ddiwrnod ar y môr. Doedd Bilbao ddim yn dref hardd; roedd y dref yn llawn o ddiwydiant a mwg, ond roedd y bobl yn gyfeillgar ac roedd y mynyddoedd o gwmpas yn uchel ac urddasol.

Sylwodd Debra fod rhywun yn eistedd yn sedd flaen y car, ond doedd hi ddim yn gallu ei weld e'n iawn am fod ei wyneb wedi ei guddio y tu ôl i bapur newydd. Roedd yr haul yn uchel yn yr awyr ac roedd Debra yn synnu bod y dyn yn darllen papur newydd mewn car poeth yn lle eistedd ar deras y bar fel y gwnâi hi.

Ymhen peth amser clywodd hi'r bws yn dod ar hyd y stryd. Gorffennodd hi ei choffi a gadawodd hi'r arian ar y bwrdd.

"Adiós, Señorita!" gwaeddodd y gweinydd yn y bar.

Trodd y ferch ei phen a gwenodd arno fe.

"Adiós," meddai hi.

Cyrhaeddodd hi'r fflat tua chwech o'r gloch. Roedd hi'n fwy hapus ar ôl ei hymweliad â Señor Lopez. Roedd ganddi hi waith pwysig i'w wneud. Efallai y byddai hi'n gallu helpu Lopez i ddal y rheini oedd yn gyfrifol am farwolaeth Betty a Susan. Yn ychwanegol roedd Señor Lopez wedi rhoi iddi hi'r pum deg mil o besetas yn gyflog am ei help hi hyd yn hyn.

Doedd hi ddim wedi bwyta mewn tŷ bwyta ers talwm, felly penderfynodd hi ddathlu'r swydd newydd trwy fynd allan am y noson. Meddyliodd hi am Teresa, merch oedd yn byw yn y fflat drws nesaf, ac aeth i'w gwahodd hi i fynd allan gyda hi. Yn anffodus doedd Teresa ddim i mewn.

"Does dim ots," meddai wrthi hi hun, "fe af i i'r Locano. Fe fydd dawns yno heno, a dydy'r bwyd ddim yn ddrwg chwaith."

11.

Roedd y Locano yn ddigon llawn yn barod, er ei bod yn gynnar yn y nos. Roedd Debra wedi bod yn y clwb sawl gwaith gyda ffrindiau o Sbaen, felly roedd hi'n nabod y gweinyddion oedd yn gweithio y tu ôl i'r bar ac yn yr ystafell fwyta.

"Noswaith dda, Señorita. Ydych chi wedi dod i ddawnsio?" gofynnodd un ohonyn nhw.

"Wrth gwrs," meddai Debra. "Ond yn gyntaf fe hoffwn i fwyta rhywbeth os oes bwrdd yn rhydd."

Dilynodd hi'r gwas at fwrdd yn ymyl y ffenestr. Ar ôl astudio'r fwydlen dewisodd hi blât o *paella* (reis gyda darnau o gyw iâr a bwyd môr). Archebodd hi hanner potelaid o win gwyn hefyd.

"Esgusodwch fi, Señorita. Gaf i eistedd wrth eich bwrdd chi? Does dim llawer o le erbyn hyn."

Cododd Debra ei phen a gweld dyn tal yn sefyll wrth y bwrdd.

"Pam lai, Señor?" meddai hi.

Yna cofiodd hi ei bod hi wedi gadael ei bag llaw ar y gadair arall. Ond roedd y dyn wedi casglu'r bag yn barod.

"Dyma chi, Señorita." Roedd e'n edrych ar y bag yn fanwl. "Cymerwch ofal," meddai fe. "Mae'r lledr yn dechrau torri. Fe fyddwch chi'n colli rhywbeth, siŵr o fod."

Cymerodd Debra y bag ac esboniodd wrth y dyn:

"Roedd y bag yn anrheg oddi wrth fy rhieni flynydd-oedd yn ôl. Rydw i'n mynd ag ef i bob man."

Eisteddodd y dyn a gwelodd Debra ei fod e'n olygus, ond gyda hen graith ar ei foch. Daeth y gwas yn ôl ac archebodd y dyn gig oen gyda salad, a photelaid o win coch. Tra oedden nhw'n bwyta dywedodd e mai dyn busnes oedd e, a Miguel oedd ei enw.

"Nid acen Madrid sy gennych chi," meddai Debra.

"Nage, ond rydw i wedi byw yma ers talwm. Mae gen i fflat yn ymyl y Puerta del Sol."

"O, rydw i'n byw yn yr un ardal, meddai Debra.

Ar ôl iddyn nhw orffen eu pryd aeth Miguel a Debra i ddawnsio. Yna cawson nhw *cocktail* wrth y bar. Am un o'r gloch dywedodd y ferch fod rhaid iddi hi fynd.

"Wel, gadewch i fi fynd â chi adref yn y car," meddai Miguel. "Rydyn ni'n byw yn agos at ein gilydd."

Yn y stryd roedd popeth yn dawel ar ôl y ddawns swnllyd. Roedd awel hyfryd yn chwarae ar wyneb y ferch.

"Dyma fy nghar i," meddai Miguel gan gyfeirio at yr un Citroën llwyd roedd Debra wedi ei weld yn El Plantio y prynhawn yna!

12.

Dechreuodd Debra feddwl yn gyflym. Tra oedd y dyn yn agor drws y car dywedodd hi:

"Wnewch chi aros am funud, Miguel? Rydw i eisiau gadael neges gyda'r barman ar gyfer ffrind sy'n dod yma ambell dro."

"Iawn," meddai fe. "Dydw i ddim ar frys."

Cerddodd Debra yn ôl at y clwb. Wrth y drws trodd hi ei phen a gwelodd fod Miguel yn sefyll ar y pafin yn edrych arni hi. Doedd dim siawns iddi hi fynd heibio i'r clwb a diflannu yn y strydoedd cul fel roedd hi wedi gobeithio ei wneud. Roedd Miguel wedi bod yn El Plantio yn y prynhawn. Oedd e wedi ei dilyn hi'n ôl i Madrid? Oedd, yn fwy na thebyg. Roedd rhaid iddi hi ei golli e ar unwaith.

Wrth y bar roedd dau ddyn mawr yn siarad Saesneg gydag acen Americanaidd. Petrusodd y ferch am eiliad, yna gwenodd hi arnyn nhw yn swil.

"Wel, helo," meddai un o'r Americanwyr. "Hoffech chi gael rhywbeth i'w yfed?"

Roedd yn amlwg bod y ddau wedi yfed digon yn barod.

"Na, dim diolch," meddai'r ferch, yna ychwanegodd:

"A dweud y gwir, roeddwn i'n chwilio am help."

"Help? Wel fe fyddwn ni'n hapus i'ch helpu chi, Miss. Beth sy'n bod?"

"Mae Sbaenwr wedi fy nilyn i allan o'r clwb. Mae e'n aros amdana i yn y stryd. Mae e eisiau i fi fynd adref gyda fe, ond dydw i ddim eisiau. Mae ofn arna i."

Edrychodd y ddau Americanwr ar ei gilydd.

"Peidiwch â phoeni, Miss. Fe gawn i air â fe ar unwaith," meddai un.

"Dydyn ni ddim yn siarad Sbaeneg o gwbl," chwarddodd y llall. "Ond does dim ots, fe fydd e'n deall yn iawn!"

Aethon nhw allan o'r clwb ac arhosodd Debra wrth y drws agored. Ymhen amser byr clywodd hi leisiau uchel yn y stryd, yna sŵn fel slap, yna slap arall.

Edrychodd hi'n ofalus i fyny'r stryd. Roedd dau ddyn yn sefyll wrth ochr y car ac roedd trydydd dyn yn gorwedd ar y llawr. Brysiodd Debra i'r cyfeiriad arall heb aros i ddweud diolch wrth neb.

Yn ôl yn y fflat meddyliodd Debra am ddigwyddiadau'r noson. Roedd ganddi hi ben tost, felly cymerodd hi ddau aspirin gyda gwydraid o laeth poeth ac aeth yn syth i'r gwely.

Oedd hi'n cysgu, neu oedd hi wedi deffro? Roedd

rhywun wedi agor drws yr ystafell wely. Cododd Debra ei phen o'r glustog. Ond cyn iddi lwyddo i gynnau'r golau teimlodd law gadarn ar ei gwddf a rhywbeth yn pwyso ar ei hwyneb. Beth oedd yr arogl chwerw hwnnw? Ceisiodd godi o'r gwely, ond yn sydyn aeth popeth yn niwlog.

13.

Roedd Betty Parker yn sefyll yn y pwll nofio. Roedd hi'n dysgu nofio. Croesodd Debra y teras i ymuno â hi. Gollyngodd Debra ei throed i'r dŵr glas oer, ond daeth corff Susan Rawlings heibio yn araf a throdd y dŵr yn goch.

Deffrôdd Debra yn sydyn ac edrychodd o'i chwmpas. Roedd arogl rhyfedd yn yr ystafell, clorofform efallai. Cododd hi o'r gwely a gwelodd fod popeth mewn anhrefn. Roedd rhywun wedi mynd trwy'r fflat â chrib fân.

Aeth hi i mewn i'r gegin a throi'r tegell ymlaen. Yna aeth hi'n syth i edrych yn ei bag llaw. Roedd hi wedi ei adael yn ymyl y gwely. Am ryw reswm doedd y bag llaw ddim wedi cael ei agor, ac roedd ei harian hi'n ddiogel.

Dechreuodd y tegell ganu ac aeth hi'n ôl i'r gegin i wneud cwpanaid o goffi du cryf. Yfodd hi'r coffi yn gyflym er ei fod e'n boeth, a dechreuodd ei phen glirio ychydig. Roedd hi'n siŵr fod Miguel, neu ffrindiau Miguel, wedi torri i mewn i'r fflat. Ond doedden nhw ddim wedi dwyn ei harian hi. Felly, am beth roedden nhw'n chwilio?

Oedd, roedd y coffi yn ei helpu i feddwl yn fwy clir. Roedd rhaid iddi hi anfon gair i Señor Lopez, ond ar y llaw arall doedd hi ddim eisiau colli ei swydd newydd.

Edrychodd hi ar y cloc. Dau o'r gloch! Roedd hi wedi colli'r bore yn barod. Aeth allan o'r fflat ac i mewn i'r coridor. Curodd ar ddrws ei chymydog, Teresa. Yn ffodus roedd y ferch wedi dod yn ôl o'r gwaith.

"Debra, beth sy'n bod? Mae dy wyneb di yn wyn!" meddai Teresa.

"Dydw i ddim yn gallu esbonio nawr, Teresa. Mae'n rhaid i fi adael y fflat am y tro. Gaf i adael arian gyda ti i dalu'r rhent tra byddaf i ffwrdd?"

Estynnodd hi'r arian i'w ffrind a cheisiodd hi wenu.

"Paid â phoeni, Teresa. Mae popeth yn iawn," meddai hi. "Hwyl. . ."

Aeth hi'n ôl i'r fflat. Gosododd rai pethau pwysig yn ei bag llaw; trwydded deithio, arian, a brws dannedd.

Cerddodd hi hyd at gornel y stryd lle roedd arhosfan tacsi.

"I swyddfa'r post," meddai.

"Pa swyddfa bost? Mae llawer ohonyn nhw yn y ddinas."

"Yr un agosaf, os gwelwch yn dda."

"O'r gorau. Mae un yn y Puerta del Sol."

Tra oedd y tacsi yn symud yn araf trwy'r traffig, edrychodd Debra drwy'r ffenestr gefn, ond roedd cymaint o geir yn y strydoedd fel doedd hi ddim yn gallu dweud a oedd rhywun yn ei dilyn hi neu beidio.

14.

Roedd dau blismon yn sefyll o flaen drws swyddfa'r post yn y Puerta del Sol. Roedd eu gynnau'n disgleirio yn yr haul. Aeth Debra drwy'r drws a cherddodd at y cownter.

"Buenos días, Señorita. Gaf i eich helpu chi?"

Roedd un o'r clercod wedi dod yn gyflym i wasanaethu'r ferch brydferth â'r gwallt hir coch.

"Buenos días," meddai Debra. "Fe hoffwn i anfon teligram, os gwelwch yn dda."

"Wrth gwrs, Señorita. Dyma ffurflen ichi. Ysgrifennwch y neges a'r cyfeiriad arni hi a wedyn rhoddwch hi'n ôl imi."

Cymerodd y ferch y darn o bapur ac ysgrifennodd hi'r neges hon:

"Rhywun yn gwylio El Plantio. Cymerwch ofal."

Rhoddodd hi'r ffurflen yn ôl i'r clerc. Edrychodd e ar y neges.

"Rydych chi wedi anghofio eich enw chi, Señorita," meddai fe.

"Diolch, ond dydy'r enw ddim yn bwysig," atebodd Debra dan wenu. Yna trodd ei chefn a cherdded allan i'r stryd. Roedd hi'n teimlo'n well yn barod.

Yn y sgwâr roedd y siopau yn dechrau agor am y prynhawn, ac roedd pobl yn dechrau ymddangos ar ôl y siesta. Penderfynodd Debra fynd i gyfeiriad y Plaza Mayor, ond cyn cyrraedd y Plaza trodd i'r dde lle roedd rhai o hen strydoedd cul y ddinas.

Yn fuan roedd sŵn y ceir yn bell ac roedd ei hesgidiau hi yn cleçian ar gerrig crwn y palmant. Arhosodd hi am funud neu ddau. Roedd y stryd y tu ôl iddi hi yn wag. Aeth hi hyd at y gornel ac arhosodd unwaith eto. Roedd miwsig fflamenco i'w glywed yn rhywle; rhaglen radio, siŵr o fod. Aeth hi ymlaen a dod o hyd i sgwâr bach gydag ychydig o siopau: cigydd, siop ffrwythau, siop drin gwallt.

Aeth hi i mewn i'r siop drin gwallt. Roedd merch ifanc yn eistedd wrth y ffenestr yn darllen cylchgrawn lliwgar.

"Esgusodwch fi," ebe Debra. "Oes rhaid i fi wneud trefniadau i gael torri fy ngwallt?"

Cododd y ferch o'r gadair ar unwaith.

"O, nac oes, Señorita. Fel rydych chi'n gweld, dydw i ddim yn brysur y prynhawn 'ma."

"Fe hoffwn i newid y steil yn hollol," esboniodd Debra. "Rydw i wedi alaru ar wallt hir. Mae'n rhy boeth i mi yn Madrid. Rydw i eisiau steil byr newydd."

"Ond mae eich gwallt chi yn hyfryd fel mae e," protestiodd y ferch.

"Nac ydy, mae'n rhy hir," meddai Debra yn bendant. "Ac rydw i eisiau newid y lliw hefyd."

"Y lliw, Señorita?"

"Ie. Rydw i wedi alaru ar wallt coch. Gaf i wallt du, os gwelwch yn dda? Mae fy nghariad eisiau i fi edrych yn fwy Sbaenaidd."

"Iawn," meddai'r ferch dan ochneidio, ond roedd hi'n meddwl bod Debra a'i chariad yn hollol benwan!

15.

Parhaodd y driniaeth i'r gwallt tan chwech o'r gloch.

"Faint sy arnaf ichi?" gofynnodd Debra gan edrych arni ei hun yn y drych.

"Mil dau gant o besetas," meddai'r ferch. "Ydych chi'n fodlon, Señorita?"

"Ydw." Roedd Debra yn gwenu. "Rydw i'n teimlo fel gwraig newydd."

Tynnodd hi'r arian allan o'i bag llaw, ac edrychodd ar

y gwallt coch ar y llawr o gwmpas y gadair. Yn sydyn teimlodd hi'n drist, felly dechreuodd hi siarad am fater arall.

"Oes gwesty yn yr ardal 'ma? Rydw i'n chwilio am ystafell am rai wythnosau."

Siglodd y ferch ei phen.

"Nac oes, dydy teithwyr ddim yn arfer dod trwy'r ardal yma yn aml iawn; ond mae llawer o westai o gwmpas y Plaza Mayor."

"Wel, a dweud y gwir mae'n well gen i fyw mewn ardal dawel fel hon. Mae'r Plaza Mayor yn rhy swnllyd i fi."

Meddyliodd y ferch am funud, yna dywedodd hi:

"Ydych chi wedi meddwl am fyw gyda theulu o Sbaen-wyr?"

"Teulu o Sbaenwyr? Dyna syniad da!" meddai Debra.

"Mae ystafell sbâr gennyn ni gartref, achos mae fy mrawd i ffwrdd yn y fyddin. Hoffech chi i fi ffonio Mam i drefnu'r peth?"

"O, hoffwn yn wir," meddai Debra.

Ymhen pum munud roedd popeth wedi ei drefnu. Caeodd y ferch y siop ac aeth y ddwy allan i'r strydoedd cul.

Cafodd Debra groeso cynnes gan y rhieni – Jimenez oedd eu henw nhw, a Carmen oedd enw'r ferch. Doedd ystafell Debra ddim yn fawr, ond roedd hi'n lân a thaclus ac roedd y swper yn flasus dros ben.

Tra oedd y teulu yn gorffen swper gyda gwydraid o *cognac* dywedodd Debra fod rhaid iddi hi fynd allan am awr.

"Ble rydych chi'n mynd?" gofynnodd Carmen dan

wenu. "I weld eich cariad chi?"

Chwarddodd Debra yn uchel.

"Weithiau rydw i'n cwrdd â ffrindiau mewn bar yn Stryd San Bernardo. Hoffech chi ddod gyda fi, Carmen?"

"Am awr? Iawn. Dydw i ddim wedi blino heno," meddai Carmen. "Rydw i'n mynd i wisgo fy jîns."

Roedd y bar bron yn wag; dim ond grŵp bach o ddynion yn chwarae cardiau yn y gornel. Eisteddodd y merched wrth y cownter ac archebon nhw ddau gwpanaid o goffi.

Am hanner awr wedi deg canodd y ffôn y tu ôl i'r bar.

"Oes rhywun o'r enw Craig yma?" gofynnodd y barman.

"Dyma fi," ebe Debra.

"Mae galwad ffôn ichi." Rhoddodd e'r ffôn iddi hi.

Clywodd hi lais Señor Lopez ar y derbynnydd.

"Gwrandewch yn ofalus," meddai Lopez. "Mae gwaith ichi yfory. . ."

Ymhen dau neu dri munud daeth Debra yn ôl at Carmen.

"Roedd fy ffrindiau ar y ffôn," meddai hi. "Yn anffodus dydyn nhw ddim yn gallu dod heno."

16.

Drannoeth, ar ôl brecwast o goffi gwyn a bara, cymerodd Debra fws i orsaf reilffordd Atocha. Pan gyrhaeddodd hi yno gwelodd fod yr orsaf yn brysur iawn gyda phobl yn cychwyn ar deithiau allan o'r brifddinas ac eraill yn cyrraedd Madrid o ddinasoedd eraill.

Fel roedd Señor Lopez wedi egluro y noson flaenorol, daeth Debra o hyd i stondin bapurau newydd dan gloc mawr yr orsaf. Aeth hi'n syth at y stondin a siaradodd â'r hen wraig oedd yn gweini y tu ôl i'r cownter.

"Oes copi o'r cylchgrawn 'Semana' gennych chi?" gofynnodd Debra iddi hi.

"Mae 'Semana' yn ymddangos yfory, Señorita, ond mae gen i un o'r wythnos diwethaf."

"Beth am bythefnos yn ôl?" ebe Debra.

Meddyliodd y wraig am eiliad gan syllu ar wyneb y ferch.

"Mae copi o rifyn pythefnos yn ôl yma hefyd," meddai hi. "Ydych chi am rywbeth arall?"

"Ydw. Pecyn o amlenni, os gwelwch yn dda."

Diflannodd llaw'r hen wraig dan y cownter.

"Cant a deg o besetas, Señorita," meddai hi, gan roi'r cylchgrawn a'r amlenni iddi hi. Agorodd Debra ei bag llaw a thynnu'r arian allan. Gosododd hi'r pecyn yn y bag llaw. Yna croesodd hi sgwâr yr orsaf a gwelodd hi res o dacsis yn disgwyl am deithwyr. Roedd tacsis yn cyrraedd ac yn gadael bob munud.

Safodd Debra ar y palmant yn ymyl y rhes o dacsis ac agorodd ei chylchgrawn gan osod y tudalennau ar led. Arhosodd hi yno am bedwar neu bum munud cyn i yrrwr tacsi ddod ati hi.

"Esgusodwch fi, Señorita. Ydych chi wedi archebu tacsi un deg wyth?"

"Ydw," meddai Debra.

"Dewch gyda fi, Señorita."

Aethon nhw i gefn y rhes lle roedd tacsi gwag yn disgwyl.

Gyrrodd y dyn yn gyflym drwy strydoedd Madrid. Yn

fuan roedden nhw wedi gadael canol y dref. Roedden nhw'n mynd trwy strydoedd tlawd a chul ar ffiniau'r ddinas. Trwy gydol y daith roedd y gyrrwr yn edrych yn ei ddrych.

"Does neb yn ein dilyn ni," meddai wrth Debra. "Ymhen munud fe fydda i'n aros ac fe fydd rhaid ichi adael y tacsi a cherdded canllath i fyny'r stryd. Fe fydd Fiat 127 coch wedi ei barcio yno."

Tynnodd e rywbeth allan o'i boced.

"Dyma allwedd y car. Mae cyfeiriad a map o dan sedd flaen y Fiat."

"Iawn," meddai Debra, a throdd y gyrrwr i edrych arni hi.

"Gyrrwch yn ofalus, Señorita. Dydyn ni ddim eisiau colli merch mor hardd â chi. Peth arall, mae'r papurau yn y pecyn yn bwysig iawn."

"Rydw i'n gwybod," meddai Debra. "Mae Señor Lopez wedi esbonio popeth. Peidiwch â phoeni amdana i."

Stopiodd y dyn y tacsi.

"Wel, pob lwc, Señorita," meddai fe. "Adiós."

17.

Pan oedd Debra yn siŵr y byddai hi'n cofio'r cyfeiriad torrodd hi'r papur mewn darnau bach a'u taflu nhw allan o ffenestr y car. Yna agorodd hi'r map a chwilio am bentref o'r enw Rosillas.

"A, dyma fe," meddai hi wrthi ei hun. "Mae e yng nghornel y map." Gyrrodd hi'n ofalus achos doedd hi ddim wedi gyrru ar ochr dde'r ffordd o'r blaen. Yn ffodus

34

daeth hi'n fuan i gefn gwlad lle roedd y ffordd yn glir. Fel y dyn tacsi, cadwodd ei llygaid ar y drych, ond roedd hi'n siŵr nad oedd neb yn ei dilyn hi.

Pum milltir allan o Madrid gwelodd hi ffordd gul ar y chwith iddi. Dilynodd hi'r ffordd ac yn fuan roedd hi'n dringo tua'r mynyddoedd. Roedd y ddaear o gwmpas yn frown a doedd dim llawer o laswellt i'w weld.

Dechreuodd hi feddwl am y papurau yn ei bag llaw. Roedd Señor Lopez wedi dweud ar y ffôn eu bod nhw'n bwysig iawn. Roedd aelod pwerus o'r llywodraeth yn disgwyl amdanyn nhw yn ei *villa* yn Rosillas. Roedd Señor Lopez wedi dweud hefyd eu bod nhw'n agos iawn at ddal llofruddion Betty a Susan. "Maen nhw yma ym Madrid," meddai fe, a meddyliodd Debra am Miguel yn y Citroën llwyd. "Rydyn ni'n gallu eu dal nhw unrhyw bryd," ychwanegodd Lopez, "ond mae'n well gennyn ni roi tipyn o ryddid iddyn nhw ar hyn o bryd."

Dechreuodd y ffordd ddisgyn i lawr cwm serth. Roedd tro yn y ffordd bob ugain llath, ac roedd rhaid iddi hi yrru'n araf. Ond nawr roedd coed yn y cwm, ac roedd nant yn disgleirio yn yr haul. Ar ôl chwarter awr gwelodd hi arwydd gyda'r geiriau:

"Croeso i Rosillas."

Aeth y car drwy stryd hir yn llawn o *villas* hyfryd. Ar ben y stryd, hanner canllath i ffwrdd o'r heol, gwelodd Debra dŷ gwyn mawr. Parciodd hi'r Fiat o flaen clwyd fawr y tŷ. Ar unwaith agorwyd drws wrth ochr y glwyd a daeth dyn allan. Roedd e mewn gwisg swyddogol.

"Señorita Craig?"

"Ie."

Agorodd y dyn y glwyd a gyrrodd Debra i mewn i'r iard.

"Gadewch y car yma gyda fi, Señorita," meddai'r dyn. "Mae Señor Ramones yn disgwyl amdanoch chi yn ei swyddfa."

18.

Roedd Señor Ramones yn eistedd mewn cadair freichiau wrth y ffenestr. Roedd e'n eithaf hen ac roedd ei wallt yn wyn. Cododd e o'r gadair ar unwaith. Cynigiodd e ei law i'r ferch a gwelodd hi ei fod e'n gwisgo menig o ledr gwyn.

"Rydw i'n falch i gwrdd â chi, Señorita," meddai fe. "Diego Ramones ydw i."

"Mae'n dda gen i gwrdd â chi, Señor Ramones. Debra Craig ydy fy enw i. Rydw i wedi dod â phapurau ichi. Rydw i'n gweithio i Señor Lopez."

Agorodd hi ei bag llaw a thynnodd hi'r pecyn allan.

"Diolch yn fawr ichi, Señorita. Eisteddwch i lawr os gwelwch yn dda."

Cymerodd e'r pecyn a mynd ag ef i ystafell arall. Ymhen munud daeth e'n ôl.

"Rydw i wedi gosod y papurau yn y gist," esboniodd e. "Gobeithio fod Señor Lopez wedi dweud wrthoch chi pa mor bwysig ydy ein gwaith ni yn erbyn gelynion Sbaen."

"Ydy. Ond rydw i'n gwneud hyn er mwyn fy ffrind Betty Parker hefyd."

"Wrth gwrs, Señorita Craig."

Agorodd e botel o sieri ac arllwysodd e ddau wydraid mawr. Yna trodd e a gofynnodd e'n sydyn:

"Pa liw ydy eich gwallt chi, Señorita?"

"Fy ngwallt? Mae. . . mae e'n ddu."

Rhoddodd Señor Ramones y gwydryn iddi hi.

"Yn ôl disgrifiad Lopez mae eich gwallt chi yn goch, ac yn hir."

Chwarddodd Debra yn uchel.

"Fe newidiais i'r steil a'r lliw ddoe, Señor Ramones."

Gostyngodd hi ei phen.

"Os edrychwch chi'n ofalus, Señor, fe fyddwch chi'n gallu gweld bod gwreiddiau fy ngwallt yn goch o hyd."

Roedd Señor Ramones mewn penbleth.

"Mae'n rhaid imi esbonio," meddai Debra. "Fe ges i drafferth gyda dyn mewn bar ym Madrid." Rhoddodd hi ddisgrifiad o Miguel iddo fe. "Roedd yn bosibl ei fod e'n fy nilyn i. Felly fe symudais i i fflat arall ac fe newidiais i steil fy ngwallt yn llwyr."

Roedd wyneb Señor Ramones yn ddifrifol.

"Pam na ddywedoch chi ddim wrth Señor Lopez?"

Edrychodd Debra ar y llawr fel plentyn drwg.

"Doeddwn i ddim eisiau colli'r swydd gyda chi, nid oherwydd yr arian ond oherwydd Betty a Susan. Ond peidiwch â phoeni. Does neb yn fy nilyn i nawr."

Gosododd Señor Ramones ei fraich ar ysgwydd y ferch.

"Dydyn ni ddim eisiau eich colli chi fel Betty a Susan," meddai.

Aeth e at y ddesg a chodi'r ffôn.

"Helo, Paco," meddai fe. "Efallai fod rhywun yn dilyn Señorita Craig. Defnyddiwch gynllun naw ar unwaith."

"Beth ydy cynllun naw?" gofynnodd Debra.

"Fe fydd ein dynion ni yn dal llofruddion Betty a Susan ar unwaith. Fyddwch chi ddim yn ddiogel tra byddan nhw'n rhydd."

Agorodd Señor Ramones ddrws y ddesg a thynnu dryll bach allan.

"Cymerwch e, Señorita," meddai. "Erbyn yfory fe fydd popeth ar ben. Yn y cyfamser mae'n rhaid ichi allu amddiffyn eich hunan."

Pwysodd e ar fotwm du ger y ffôn, a daeth merch i mewn i'r ystafell.

"Paratowch frechdanau a choffi i'r Señorita," meddai fe. "A brysiwch. Mae'n rhaid iddi hi fynd yn ôl i Madrid y prynhawn 'ma."

19.

Ar ôl dweud ffarwél wrth Señor Ramones aeth Debra i lawr i'r car. Roedd hi'n awyddus i gyrraedd adref yn ddiogel. Roedd yr un dyn yn sefyll yn yr iard wrth y glwyd. Aeth e at gar Debra ag agor y drws iddi. Yna aeth e i agor y glwyd fawr a gyrrodd Debra y Fiat allan i'r stryd.

Roedd y ffordd yn edrych yn glir, ond yn sydyn ymddangosodd grŵp bach o ddynion o'r tu ôl i wal wrth ochr yr heol. Dechreuon nhw redeg at y car ac at y glwyd, ond rhoddodd Debra ei throed ar sbardun y Fiat ac aeth y car ymlaen â'r teiars yn sgrechian. Yna clywodd hi ergydion a gwelodd hi un o'r dynion yn syrthio i'r ddaear. Roedd ei ffrindiau hi yn y tŷ yn saethu arnyn nhw, siŵr o fod. Roedd Debra eisiau eu helpu nhw, ond roedd hi'n gwybod bod rhaid iddi hi fynd ar unwaith i Madrid a rhoi'r newyddion i Señor Lopez.

Ganllath ymlaen roedd Citroën llwyd wedi ei barcio. Roedd dyn yn sefyll wrth y car. Roedd y dyn yn gwisgo cadach o gwmpas ei ben, ond roedd hi'n ei adnabod e'n iawn. Miguel oedd e. Roedd e wedi ei dilyn hi yn El Plantio, ym Madrid ac nawr yn Rosillas. Roedd cleisiau i'w gweld ar ei wyneb; roedd yn amlwg bod yr American-wyr wedi rhoi cosfa iddo.

Gostyngodd Debra ei phen wrth yrru heibio ond ymhen munud, wrth edrych yn y drych, gwelodd hi'r Citroën yn ei dilyn hi. Roedd ofn mawr arni hi, a meddyliodd pa mor dwp oedd hi. Pam doedd hi ddim wedi sôn am Miguel wrth Señor Lopez?

Edrychodd hi yn y drych unwaith eto. Roedd yn amhosibl iddi hi golli'r Citroën. Doedd y Fiat ddim yn ddigon cyflym. Efallai y byddai car heddlu ar y draffordd, ond oedd yn bosibl iddi hi gyrraedd y draffordd cyn i'r llofrudd ei dal hi?

Meddyliodd hi am y dryll yn ei bag llaw. Doedd hi ddim wedi defnyddio dryll o'r blaen.

Roedd hi wedi gadael Rosillas y tu ôl iddi hi, a dechreuodd y Fiat ddringo ffordd serth y cwm. Yn ffodus roedd y ffordd yn gul. Doedd dim siawns gan Miguel i'w dal hi ar droeon fel y rhain. Roedd hi'n teimlo'n nerfus iawn ond roedd hi'n meddwl yn glir. Doedd hi ddim yn mynd i wneud unrhyw gamgymeriad. Doedd hi ddim yn mynd i farw fel Betty a Susan. Roedd hi'n mynd i fyw.

Edrychodd hi yn gyflym yn y drych. Oedd y dyn ar ei ben ei hun yn y car? Doedd hi ddim yn gallu gweld, ond doedd dim ots. Roedd hi wedi gweld Señor Ramones yn rhoi chwe bwled yn y dryll. Byddai chwe bwled yn ddigon i. . . Ie, i'w ladd e. Doedd hi erioed wedi casáu unrhyw un cymaint â hyn o'r blaen. Roedd Miguel yn meddwl y byddai'n gallu ei lladd hi yn hawdd iawn. Roedd e'n credu nad oedd merched yn gallu amddiffyn eu hunain.

Llofrudd merched oedd e. Wel, roedd e'n mynd i gael sioc, roedd e'n mynd i. . .

Yn sydyn gwelodd hi fuwch yn croesi'r ffordd o'i blaen hi. Roedd hi'n teithio'n rhy gyflym i stopio. Trodd hi'r olwyn mewn fflach a gadawodd y Fiat y ffordd. Roedd creigiau a choed o'i blaen hi nawr, ac roedd rhaid iddi hi wasgu'r brêc yn galed i stopio'r car.

Cododd ei bag llaw a thynnu'r dryll allan. Edrychodd drwy'r ffenestr a gweld bod y Citroën wedi ei barcio ar ochr y ffordd. Agorodd y drws a rhedeg i guddio tu ôl i'r Fiat. Cododd ei phen yn ofalus. Roedd Miguel yn dod i lawr y llethr. Roedd e'n ceisio rhedeg a chwympodd e unwaith ar y creigiau. Roedd ei wyneb yn goch, ac roedd e'n gweiddi. Oedd, roedd e'n gweiddi fel gwallgofddyn.

Pan oedd e ugain llath i ffwrdd daeth Debra o'r tu ôl i'r Fiat. Cyfeiriodd hi'r dryll ato fe, ac edrychodd e arni hi â'i geg yn agored. Roedd dwylo Debra yn crynu. Roedd hi'n cofio'r ddawns ym Madrid; ei wên e, ei lais, ei ddwylo ar ei hysgwyddau.

Estynnodd Miguel ei freichiau ati. Roedd e'n dweud rhywbeth, ond doedd hi ddim yn gallu deall. Roedd popeth yn digwydd fel mewn breuddwyd. Ond roedd hi'n gwybod nad oedd hi'n breuddwydio; roedd e'n agos ati nawr, yn llawer rhy agos. Gwasgodd hi'r triger. . .

Ar yr union foment ffrwydrodd y Fiat, a theimlodd Debra boen ofnadwy yn ei phen ac yn ei braich. Roedd yr awyr ar dân ac roedd goleuadau coch a gwyn yn dawnsio o flaen ei llygaid. Yna peidiodd y poen ac aeth popeth yn ddu.

Pan agorodd hi ei llygaid roedd grŵp o blismyn yn sefyll o gwmpas gan edrych arni. Roedd Miguel yn pen-linio wrth ei hochr ac yn gosod lliain gwlyb ar ei thalcen.

Ceisiodd hi siarad ond gosododd Miguel ei fys ar ei gwefusau.

"Peidiwch â symud," meddai'n dawel. "Mae'r ambiwlans yn dod. Rydych chi'n ddiogel nawr, Señorita Craig."

20.

Roedd Debra wedi torri ei braich yn y ffrwydrad. Drannoeth daeth Miguel â blodau iddi hi i'r ysbyty. Roedd e wedi tynnu'r cadach oddi ar ei ben, ac roedd e'n edrych yn well.

Roedd Debra'n teimlo'n nerfus. Roedd hi wedi darllen yn y papur newydd bod cylch cyffuriau wedi cael ei dorri ym Madrid. Roedd llun o'r tŷ yn Rosillas ar y tudalen blaen.

Eisteddodd Miguel wrth ochr y gwely.

"Sut rydych chi'n teimlo?" gofynnodd e.

"O, eitha da, diolch." Edrychodd hi arno fe'n swil. "Felly plismon ydych chi, nid. . ."

Gwenodd Miguel arni. Roedd Debra yn synnu pa mor olygus oedd e. Roedd hi wedi bod yn meddwl amdano fe fel anghenfil. Roedd hi'n teimlo fel wylo achos roedd hi wedi bod mor dwp.

"Miguel. . ."

"Ie?"

"Doeddwn i ddim yn gwybod dim byd am y cyffuriau. Mae'n rhaid ichi fy nghredu i, achos dydw i ddim yn gallu profi dim. Roedd Lopez mor glyfar. . ."

Gosododd Miguel ei law ar ei braich hi.

"Gwrandewch, Debra. Doedd Betty Parker ddim yn

gwybod am y cyffuriau chwaith. Mae rhieni Betty a Susan wedi anfon llythyrau aton ni. Roedden nhw wedi eu derbyn oddi wrth y merched. Yn ôl y llythyrau roedd y ddwy ferch yn credu eu bod nhw'n helpu Sbaen mewn rhyw ffordd.''

''Fe ddywedodd Lopez hynny wrtho i hefyd,'' meddai Debra.

''Wel, rydw i'n credu bod Betty wedi dysgu'r gwir un diwrnod,'' meddai Miguel, ''ac fe geisiodd hi ddianc. Fe benderfynodd Susan Rawlings aros − Sbaenwr oedd ei chariad − ond fe ddigwyddodd yr un peth. Fe gafodd y ddwy ferch eu lladd am eu bod nhw'n gwybod gormod. Roedden ni wedi bod yn eu gwylio nhw. Roedden ni'n aros am siawns i ddal Lopez a Ramones trwyddyn nhw. Yna, ymddangosoch chi yn El Plantio. Roeddwn i wedi eich gweld chi gyda Betty yn y Gran Via, ac roeddwn i wedi darganfod ble roeddech chi'n byw. Y noson honno fe ddilynais i chi i'r tŷ bwyta. Roeddwn i eisiau gwybod beth roeddech chi'n wneud yn El Plantio, ond fe gollais i chi, diolch i'r Americanwyr.''

Cododd e ei law i'w wyneb. Roedd ei lygad e'n ddu o hyd.

''Mae, mae'n ddrwg gen i am hynny,'' ebe Debra. ''Roeddwn i'n credu mai llofrudd oeddech chi.''

''Felly roedd rhaid inni newid ein cynllun. Yr un noson fe dorrodd plismon i mewn i'ch fflat chi. Yn anffodus fe ddihunoch chi, ac roedd rhaid iddo fe roi clorofform ichi.''

''Ond pam torrodd e i mewn i'r fflat? Doedd dim byd yno.''

''Fe dorrodd e i mewn i'r fflat er mwyn gosod batri bach yn eich bag llaw chi. Ydych chi'n cofio dweud wrtho i yn y Locano eich bod chi'n mynd â'r bag llaw i bob man? Wel, mae'r batri bach 'na yn darlledu signalau radio bob eiliad. Roeddech chi'n credu eich bod wedi ein colli ni, ond roedden ni'n gwybod ble roeddech chi trwy'r amser.''

Taniodd Miguel sigarét ac yna aeth e yn ei flaen.

''Roedden ni'n lwcus. Fe benderfynodd Lopez eich defnyddio chi ar unwaith. Fe aethoch chi ar daith i orsaf Atocha, wedyn i Rosillas. Roedd yn amlwg bod rhywbeth pwysig yn digwydd. Roedd Lopez yn anfon pecyn o gyffuriau gwerthfawr i Ramones, ac roeddech chi'n ei gario iddyn nhw.''

''Ond roedd Señor Ramones yn ymddangos mor hyfryd. . .'' ebe Debra.

''Hyfryd!'' Roedd llais Miguel yn chwerw. ''Pwy a roddodd y dryll ichi, fe neu Lopez?''

''Fe, achos fe ddywedais i eich bod chi wedi fy nilyn i o El Plantio i Madrid.''

''Roedd Ramones, neu un o'i ddynion, wedi lladd Susan Rawlings gyda'r dryll yna. Rydw i'n deall nawr. Roedd ofn arno fe, am ei fod e'n gwybod bod yr heddlu yn eich dilyn chi. Roedd e'n gobeithio y byddech chi'n defnyddio'r gwn yn ein herbyn ni, a chael eich lladd gennyn ni. Ond er mwyn bod yn siŵr, fe ososodd e fom yn y car hefyd.''

''Cynllun naw,'' meddyliodd Debra, a chrynodd hi dipyn.

''Rydych chi'n ddiogel nawr,'' ebe Miguel. ''Mae Lopez a Ramones yn y carchar yn barod, ac fe fydd y lleill yn eu dilyn nhw yn fuan.''

Yn sydyn cusanodd e Debra ar ei thalcen. Cododd hi ei phen a chusanodd e hi ar ei gwefusau. Caeodd ei llygaid a gosododd ei phen ar y glustog.

"Gaf i ddod i'ch gweld chi eto?" gofynnodd Miguel.

"Cewch, wrth gwrs."

Canodd cloch yn y coridor.

"Wel, hwyl am nawr, Debra. Mae'n rhaid imi fynd. Mae'r ymwelwyr yn ymadael."

"Hwyl, Miguel, a diolch am y blodau. Diolch am bopeth."

Clywodd hi'r drws yn cau yn dawel. Gorweddodd hi ar y gwely heb symud. Roedd ei braich hi'n dost; roedd yr ystafell yn rhy boeth; roedd hi'n bell oddi cartref. Doedd dim ots. Roedd Debra Craig yn hapus.

GEIRFA FER

acen, f., ACCENT
allanfa, f., EXIT
ar gyfer, FOR
ar gyrion, ON THE OUTSKIRTS
balch, PLEASED
beth bynnag, ANYWAY
blwch llwch, m., ASHTRAY
brechdan, f., SANDWICH
byddai, WOULD BE
canllath, ONE HUNDRED YARDS
cael hyd i, TO FIND
cariad, m., f., BOYFRIEND, GIRLFRIEND
cist, f., SAFE
cyffuriau, DRUGS
cyntedd, m., ENTRANCE HALL
cyw iâr, m., CHICKEN
chwarddodd, LAUGHED
daw, WILL COME
derbynnydd, m., RECEIVER
dlysaf, PRETTIEST (o'r gair *tlysaf*)
dod â, TO BRING
dod o hyd i, TO FIND
does dim ots, IT DOESN'T MATTER
dros ben, EXTREMELY
dwyn, TO CARRY
eglwys gadeiriol, f., CATHEDRAL
er mwyn, IN ORDER TO, FOR THE SAKE OF
erbyn hyn, BY NOW, SO FAR
fel arfer, USUALLY, AS USUAL
ffôn, m., TELEPHONE
gilydd, EACH OTHER
gollwng, TO LOWER
gweinydd, m., WAITER
gwydraid, m., GLASSFUL
gyda llaw, BY THE WAY

45

hollol, QUITE
i lawr, DOWN
llond, FULL
meddai, SAID
nabod, KNOW
nid nepell, NOT FAR
o gwbl, AT ALL
o leiaf, AT LEAST
o'r diwedd, AT LAST
o'r gorau, O.K.
pafin, m., PAVING, PAVEMENT
pam lai?, WHY NOT
sanau (o'r gair *hosanau*) STOCKINGS
sbardun , m., ACCELERATOR
sieri, m., SHERRY
talu'r pwyth yn ôl, TO RETALIATE
taro, TO CHIME
terfysgwr, m., TERRORIST
trwydded deithio, f., PASSPORT
tu ôl, BEHIND
tŷ bwyta, g., RESTAURANT
wats, f., WATCH
yn lle, INSTEAD OF
yn ôl, BACK, ACCORDING TO